Pe. Silvio Andrei Rodrigues

Da DOR ao Amor

PE. SILVIO ANDREI RODRIGUES

Da DOR ao AMOR

Companhia
Editora Nacional

© 2017, Companhia Editora Nacional
Todos os direitos reservados.

1ª edição - São Paulo - SP

Diretor superintendente: Jorge Yunes
Diretora editorial adjunta: Soraia Reis
Assistência editorial: Audrya de Oliveira
Revisão: Júlia Thomas
Coordenação de arte: Marcela Badolatto
Foto da capa: Rafael Pacheco/Rogê Baudichon

CIP-BRASIL. CATALOGAÇÃO NA PUBLICAÇÃO
SINDICATO NACIONAL DOS EDITORES DE LIVROS, RJ

R616d
    Rodrigues, Silvio Andrei
        Da dor ao amor / Silvio Andrei Rodrigues. -- 1. ed. --
São Paulo : Companhia Editora Nacional, 2017.
        160 p. : il. ; 21 cm.

    ISBN: 978-85-04-02037-3

    1. Vida cristã. 2. Confiança em Deus. 3. Fé. 4. Catolicismo.
I. Título.

17-39564   CDD: 248.24
                                                                     CDU: 27-184.3

06/02/2017   07/02/2017

Rua Funchal, 263 - bloco 2 - Vila Olímpia
São Paulo - SP - 04551-060 - Brasil - Tel.: (11) 2799-7799
www.editoranacional.com.br - editorial.nacional@ibep-nacional.com.br

Aos meus pais, Ovídio Rodrigues e Nélia Aparecida Rodrigues. A toda a minha família e, de modo particular e especial, à minha querida e guerreira sobrinha Priscila Regina Rodrigues!

Agradecimentos

A todos que me ajudaram a tornar este livro uma realidade. Aos queridos bispos Dom Vicente Costa, Dom Pedro Fedalto e Dom Albano Cavallin.

À sempre amiga Suely Fonseca. Ao dileto amigo professor Gabriel Chalita e a todos que partilharam suas dores e suas alegrias comigo com palavras, gestos e atitudes.

Sumário

Apresentação 13

Prefácio 19

Introdução 23

Mulher da esperança 27

Pai que sofre 39

Casos de família 51

Perseverar para vencer 61

A riqueza da juventude 73

Marcas que ficam 85

Sobreviver 97

Somos todos filhos de Deus 109

O amor e seus desafios 121

Amizades que a história conta 135

Conclusão 151

HÁ SENTIDO NA DOR?
"Pois, quando sou fraco,
então sou forte."

(2Cor 12:10)

Apresentação

O psiquiatra austríaco Viktor Frankl (1905-1997) foi perseguido pelos nazistas na Segunda Guerra Mundial por ser judeu. Ele passou cerca de dois anos nos campos de concentração de Dachau, na Alemanha, e de Auschwitz, na Polônia. Após a guerra, Frankl criou um sistema teórico-prático de psicologia, chamado "logoterapia", que é tido como a terceira escola vienense de psicoterapia. A logoterapia se concentra no sentido da existência humana, bem como na busca que toda pessoa empreende por esse sentido. Sobre a dor, ele dizia: "O sofrimento não priva nem nega ao homem a possibilidade de encontrar um sentido; porém, para encontrá-lo será decisiva a postura que se adota diante dessa situação inevitável" (Viktor Frankl, *Psicoterapia e sentido da vida*. São Paulo: Editora Quadrante, 1973, p. 155).

Esse pensamento vem ao encontro do que diz a Bíblia sobre os sofrimentos da vida: "Considerai uma grande alegria, meus irmãos, quando tiverdes de passar por diversas provações, pois sabeis que a prova da fé produz em vós a constância" (Tg 1:2-3). E, por mais paradoxal que seja, a dor também pode ser uma ocasião de abraçar a graça que vem da parte de Deus: "Mas o Senhor disse-me: 'Basta-te a Minha graça; pois é na fraqueza que a força se realiza plenamente'. Por isso, de bom grado, me gloriarei das minhas fraquezas, para que a força de Cristo habite em mim; e me comprazo nas fraquezas, nos insultos, nas dificuldades, nas perseguições e nas angústias por causa de Cristo. Pois, quando sou fraco, então sou forte" (2Cor 12:9-10). Assim, a experiência da dor constitui uma ocasião privilegiada para que o ser humano tome consciência de si próprio, do próximo e de sua capacidade de transcendência, isto é, de voltar-se para alguém maior que si mesmo: o Deus de amor e de misericórdia.

Sabemos pela fé cristã que a Cruz, o sofrimento, a dor e a morte do Crucificado purificam-nos. A dor abre-nos os olhos para panoramas de vida maiores, mais verdadeiros e mais belos, pois nos ajuda a escalar os cumes do amor a Deus e do amor ao próximo. "Cristo aproximou-se do mundo do sofrimento humano, sobretudo pelo fato de ter Ele próprio assumido sobre Si esse sofrimento. Durante a Sua atividade pública, Ele experimentou não só o cansaço, a falta de

DA DOR AO AMOR

uma casa, a incompreensão mesmo da parte dos que viviam mais perto Dele, mas também e acima de tudo foi cada vez mais acantoado por um círculo hermético de hostilidade, ao mesmo tempo que se iam tornando cada dia mais manifestos os preparativos para eliminá-Lo do mundo dos vivos... É precisamente por meio da Sua Cruz que Ele deve atingir as raízes do mal, que se embrenham na história do homem e nas almas humanas. É precisamente por meio da Sua Cruz que Ele deve realizar a obra da salvação. Essa obra, no desígnio do Amor eterno, tem um caráter redentor" (*Carta apostólica Salvici Doloris* – "O sentido cristão do sofrimento humano" [1984], n. 16b).

Assim, o título da presente obra, *Da dor ao amor*, do meu querido amigo padre Silvio Andrei, que é pároco do Santuário Diocesano Senhor Bom Jesus, em Pirapora do Bom Jesus, na Diocese de Jundiaí, é um apelo profundo e iluminador para todos aqueles que querem transcender momentos históricos existenciais difíceis e penosos, a fim de poder encontrar vida em abundância em Jesus. A partir de dez experiências pastorais – cada uma delas seguida de uma belíssima oração –, o autor desta obra testemunha a trajetória de algumas pessoas que realizaram esse ato de modo concreto. E como é bonito e salutar saber que, mesmo em sua pequenez humana, a vida do sacerdote é tocada profundamente a partir das experiências das pessoas que sofrem! Realmente, ser sinal autêntico e verdadeiro de Jesus, o Bom e Belo Pastor, compartilhar a dor dos sofredores, acolhendo-os e dando-lhes conforto e consolo, é essencial no ministério sacerdotal. Essa foi, no fundo, a prática pastoral de Jesus, que "teve compaixão da multidão cansada e abatida que parecia como que ovelhas sem pastor" (cf. Mt 9:36).

Ao padre Silvio desejo que, a cada dia de seu ministério sacerdotal, ele mesmo seja um instrumento vivo da esperança divina para ajudar tantos irmãos e irmãs chagados a passarem da dor ao amor, do desespero à esperança, encontrando assim o verdadeiro sentido da vida, que é Deus.

Invoco sobre ele, bem como sobre seus familiares e amigos, a bênção copiosa de Deus, e assim também sobre todos aqueles que, em sua dor, poderão se beneficiar da leitura e da meditação destas páginas.

Jundiaí, 28 de abril de 2016.

DOM VICENTE COSTA
Bispo Diocesano de Jundiaí

DA DOR AO AMOR
QUE SENTIDO TEM A DOR? E O AMOR?
DESSAS SEMÂNTICAS, NASCE O LIVRO DO
PADRE SILVIO ANDREI. DOR E AMOR.
O QUE É A DOR? O QUE É O AMOR?

Prefácio

A dor é como um espelho da alma. Reflete quem nós somos. Com nossas belezas e fragilidades. Com algumas quebraduras, talvez. Com as sujeiras que foram se acumulando e com as possibilidades que, por vezes, se escondem por trás das sujeiras.

A dor nos traz uma necessária solidão. É bom ter amigos por perto. Mas a dor nos faz experimentar esse olhar solitário, esse necessário olhar solitário. Ou isso ou nos enganaremos buscando fugas àquilo que, de fato, somos. A dor nos traz ao chão. Reúne-nos em comunhão com nossos irmãos, frutos do mesmo barro. O barro da dor. Não é possível decidir "não sentir dor". Esse é um poder que não temos. Mas é possível fazer o caminho "da dor ao amor". É essa a proposta do autor. Padre Silvio aproveita seu conhecimento das Sagradas Escrituras e de sua vivência como sacerdote, de homem dedicado a fazer que o povo se sinta mais próximo de Deus. E a proximidade com Deus nos revela a outra semântica da qual falamos: o amor. Deus é amor. Amar é um Verbo. O Verbo da Criação. O Verbo da Redenção. O Verbo da Santificação.

Amar é um verbo que nos movimenta em direção ao outro. O amor não se satisfaz em si mesmo. É necessário ir ao encontro do outro.

Deus não Se satisfez em ser o Pleno Amor. Transbordou o Amor dando vida. E dando a possibilidade de que Seus filhos pudessem experimentar o que de mais belo há para ser experimentado.

Há várias formas de amar. Amando – gerúndio que enfatiza o que está sempre acontecendo –, realizamo-nos. Sem amor, desencontramo-nos. A dor que nos leva ao amor é a sintaxe da construção de nossas vidas. É a frase que caminha para dar significado ao que somos.

Neste livro, o padre Silvio traz relatos, traz histórias reais de superação, de encontros milagrosos com os milagres que a vida nos proporciona. Basta olhar no espelho e depois seguir adiante.

Ao mesmo tempo, escolhe trechos de sabedoria para ilustrar o que a vida pode exemplificar.

O leitor certamente sairá um pouco mais leve desta leitura. Certamente se encontrará em algumas destas histórias. E poderá, então, escrever capítulos mais bonitos de sua trajetória. Mesmo na dor – ou, melhor, principalmente na dor.

Agradeço o convite de meu amigo querido padre Silvio para ler o seu livro e dizer algumas palavras sobre ele. Dor e amor conviveram em sua vida, inclusive para fazer dele um sacerdote cada vez mais compreensivo com a dor alheia e generoso em seu cuidado.

Inverno de 2016
Gabriel Chalita

Introdução

"Pai, se é possível, afasta de mim este cálice." De modo geral, quase sempre o nosso primeiro pensamento diante da dor é pedir que o "cálice" seja afastado de nós. Temos muita dificuldade em lidar com a dor. Olhamos para o sofrimento somente como provação, como os "piores momentos da nossa vida". Falamos com os amigos partilhando nossas noites escuras com sensação de vazio interior, com lágrimas nos olhos, com aperto no coração. Sentimo-nos vítimas da angústia, da aflição, do medo, da depressão. Reclamamos e esbravejamos, até com certa indignação e revolta, quando passamos por alguma tempestade.

Na hora do "cálice", chegamos a perguntar: o que fizemos de tão grave para merecer tamanha dor? Em algumas situações de insegurança nos trancamos no nosso "mundinho" e rompemos vínculos e contatos. Optamos pelo silêncio, pelo recolhimento ao nosso quarto, pelo andar de cabeça baixa. Declaramos a nós mesmos que nossa vida não vale a pena e nos entregamos à dor, ao murmúrio.

A hora da dor parece uma "eternidade". Indagamos: qual é a dor que dói mais? Claro que dor é dor. E dor sempre causa desconforto. Quem já viveu uma noite às claras por conta de uma dor de dente entende o que são minutos que dão uma sensação de eternidade. As dores físicas são terríveis e tiram o nosso sossego; assim também as dores espirituais e as de fundo psicológico e afetivo são praticamente insuportáveis. É por isso e por tantas outras razões que gostaríamos que os "cálices" da nossa vida fossem afastados de nós.

O Senhor Bom Jesus, enquanto transpirava sangue no Getsêmani, de madrugada, sozinho, antecipando o Calvário e a Cruz que se aproximavam, e vendo seus amigos dormir, ao ter a impressão de estar sozinho, gritou com a voz do coração para que aquele cálice fosse afastado. Com essa atitude, Ele nos ensina que a dor é um caminho dificílimo a ser percorrido, é um itinerário de pedras, espinhos, fome, sede, cansaço, deserto e luta. Porém o Seu olhar não fica escravo da dor. O Senhor Bom Jesus, como em outros momentos de bênçãos e milagres, eleva Seu olhar para o Alto, para o Pai Eterno da Misericórdia. Assim como uma criança assustada, que chora de medo, vive o conforto e a certeza de que está segura ao olhar para o pai e para a mãe, assim também Jesus, olhando para o Pai, é capaz de dizer: "mas seja feita, ó Pai, a Tua vontade". E, a partir daí, uma força sobrenatural, que vem do Alto, que vem do Amor, O capacita a cumprir a Sua missão até a morte – e morte de Cruz.

A partir do encontro desses olhares entre o Pai e o Filho, à luz do Espírito Santo, é que Jesus não vive mais nenhum receio. Do Getsêmani ao Calvário, mesmo enfrentando a nudez e o escárnio, as provocações e as injúrias, as quedas e o cansaço, a sede e a lança transpassada no Seu lado, de onde correu sangue e água, encontramos um Cristo fragilizado pela dor, porém fortalecido pelo amor. Foi do Calvário que Ele mostrou ao mundo inteiro o que é amar – e nos ensinou que o amor vence a dor e a morte.

É muito inspirador acompanhar Jesus desde uma de suas últimas palavras: "Pai, afasta de mim este cálice", até a expressão grandiosa de amor, do alto da Cruz: "Pai, perdoa-lhes, porque não sabem o que fazem; – hoje estarás comigo no Paraíso; – tudo está consumado; e – Pai, em tuas mãos entrego o meu espírito". Essa "viagem" de uma experiência a outra, de uma decisão a outra, de uma escolha a outra, pode ter profunda influência positiva de força e vitória nos acontecimentos da nossa vida e no modo de enfrentarmos, suportarmos e superarmos toda e qualquer dor, todo e qualquer "cálice".

Acredito que este livro, sem nenhuma pretensão, mas com um genuíno desejo, poderá nos ajudar em vários momentos da vida e nas diversas circunstâncias que vivemos, desde as coisas mais triviais até os mais enormes desafios, a tomar sempre a decisão de percorrer o caminho da dor ao amor.

Pe. Silvio Andrei Rodrigues

Mulher da esperança

"SE REALMENTE ENCONTREI GRAÇA A TEUS
OLHOS, Ó REI, E SE FOR DO TEU AGRADO,
CONCEDE-ME A VIDA, EIS O MEU PEDIDO, E A
VIDA DO MEU POVO, EIS O MEU DESEJO."

(Est 7:3)

uitas informações nos são apresentadas ao longo da vida. Algumas delas escutamos e não guardamos.

Às vezes temos até vontade de nos lembrar de certas coisas que ouvimos, mas nem sempre conseguimos. Porém existem palavras, canções, frases que permanecem vivas em nossos ouvidos e em nosso coração. Não lembro onde e nem quem a disse, mas me recordo da seguinte frase: "Ninguém entra na sua vida por acaso. Ninguém cruza o seu caminho por coincidência". Acredito realmente que essa afirmação seja verdadeira e não apenas uma frase de efeito. Confio em que ela significa o que diz.

À luz dessa certeza, me vem à mente a recordação de uma mulher fragilizada por uma enfermidade muito grave, que a levou para a cama e lá a manteve por meses. Alguns dias, antes de eu ir para uma cidade do interior do estado do Paraná a fim de presidir à

Missa em um dos dias da Novena da Padroeira, um dos filhos dessa mulher entrou em contato comigo. Ele me pediu que fizesse uma visita, nem que fosse por cinco minutos, à sua mãe. Disse-me o filho: "Padre, minha mãe, hoje, não é mais católica, mas gosta muito do senhor e confia nas suas orações". As palavras do filho tocaram o meu coração e, naquele instante, decidi fazer a visita, mesmo que fosse bem rápida.

Chegou o dia da Missa. Fiquei impressionado com o número de fiéis que compareceram naquela noite. Após a celebração, formou-se uma fila enorme de pessoas para conversar, rever, matar a saudade. Já era bem tarde quando saí da igreja e encontrei um grupo que me esperava para um jantar. Embora tenha ido com eles, pedi que começassem a comer, pois eu ainda tinha mais um compromisso. Já era próximo da meia-noite.

Acompanhado de minha mãe, Dona Nélia, e de um jovem, fomos à casa dessa senhora, que nos aguardava ansiosa, mesmo que para uma breve visita. Desde o primeiro instante em que entramos naquela casa senti que nada acontece em nossa vida sem motivo. Fui para levar uma palavra, uma bênção; fui para rezar com a família; fui para oferecer algo, mas, na realidade, fui eu quem me senti agraciado. Tive o privilégio de presenciar um testemunho admirável de fé. Que mulher valente! Frágil pela doença, mas forte pela fé.

Ela comentou alguns desconfortos ocasionados pela doença, como, por exemplo, as coisas que não conseguia mais fazer sozinha. O esposo havia tido derrame e, desde então, quem a ajudava no banho e em outros afazeres eram os filhos homens. Para ela era um desconforto; já para os filhos, uma retribuição. Lembro-me de ter dito a ela: "A senhora deu tantos banhos neles... Não há nenhum problema em agora eles darem banho na senhora". Sei que é simples falar, porém é difícil enfrentar uma situação assim.

Observando aquela mulher enferma, na cama, sem muitos movimentos, e ouvindo o que ela dizia, fiquei pensando comigo: "Como eu reagiria se fosse comigo? Como enfrentaria uma enfermidade que me impusesse ficar meses na cama?" Ao mesmo tempo, refletia também: "Esta mulher teria razões de sobra para se revoltar, questionando Deus sobre os porquês de estar na cama sendo ainda uma jovem senhora. E, com toda a franqueza, ela poderia desistir de lutar, de sonhar, de querer se curar e até mesmo de viver. Que graça há em viver preso a uma cama? Penso que seja muito difícil encontrar razões para viver quando não temos mobilidade, força e condições para fazer, com liberdade e autonomia, o que queremos. Aqui se torna necessário reaprender a viver, sem grandes exigências. Simplesmente viver".

Acho que seria compreensível se ela reclamasse ou se queixasse da situação em que se encontrava. Seria profundamente razoável se ela se entregasse à dor, mas deu-se exatamente o contrário. E esta foi minha grande surpresa: fui lá para oferecer algo e, na verdade, recebi um tesouro. Eu estava diante de uma mulher encantadora, dotada de uma fé inabalável que a movera na direção de uma escolha incrível, admirável. Ao invés de escolher a dor, ela escolheu o amor. Ela optou por esperar um amanhã diferente, melhor, vitorioso. Ela me ensinou que, em todas as circunstâncias da vida, podemos fazer a escolha entre nos entregarmos à dor ou crermos no amor. E mais: mostrou-me que podemos viver sob o peso da dor ou viver sob a inspiração do amor. Os que amam vão mais longe; os que amam sempre encontram motivos e inspiração para ir além, para acreditar que o amanhã será melhor.

Seguramente, sem sombra de dúvida, aquela mulher abençoada escolheu a melhor parte (cf. Lc 10:42). Escolheu ter esperança em dias melhores.

DA DOR AO AMOR

Ela comove o coração das pessoas que se aproximam exatamente porque, entre lágrimas e sorrisos, sombras e luzes, altos e baixos, fez o caminho da dor ao amor!

Senhor Bom Jesus, dá-nos a graça da Esperança, hoje e a cada dia da nossa vida. Dá-nos uma Esperança que não se cansa, que não se intimida, que não desanima. Dá-nos uma Esperança que abra os nossos olhos e aqueça o nosso coração, permitindo-nos ver o amanhã com possibilidade e certeza de que ele será melhor do que o dia de hoje. Amém.

Pai
que sofre

"AO CHEGAR PERTO DA PORTA DA CIDADE, EIS QUE LEVAVAM UM DEFUNTO A SER SEPULTADO, FILHO ÚNICO DE UMA VIÚVA; ACOMPANHAVA-A MUITA GENTE DA CIDADE. VENDO-A, O SENHOR, MOVIDO DE COMPAIXÃO PARA COM ELA, DISSE-LHE: NÃO CHORES."

(Lc 7:12-13)

Em certa ocasião, li uma pesquisa sobre o que causaria maior dor ao coração do ser humano. Claro que medir o sofrimento de alguém pode parecer algo sem sentido, pois, quando o nosso coração sofre, pensamos que aquele sofrimento é o maior que possa existir. Entretanto, a pesquisa identificou as três maiores razões pelas quais nós mais sofremos.

Em terceiro lugar ficou a dor causada pela perda do emprego. Quando perdemos o emprego, de certa maneira o desespero nos visita e tantas perguntas começam a povoar a nossa cabeça: Como vamos honrar nossos compromissos? Como vamos prover o alimento, o remédio, a roupa, o estudo e as necessidades da nossa família? Por trás da perda do emprego vemos uma situação bastante complexa. Precisamos de ajuda para manter a calma. É preciso ouvir de alguém algum consolo. Precisamos de uma voz que nos diga:

"Calma! Nem tudo está perdido, pois tudo passa".

Depois, essa pesquisa identificou que, quando alguém perde uma amizade, quando amigos rompem relações, isso lhes provoca uma angústia muito grande na alma. E é por isso que a perda de amizades ocupa o segundo lugar no *ranking* das dores. Diz a Bíblia que "quem encontrou um amigo encontrou um tesouro" (Eclo 6:14). Sendo assim, perder uma amizade, por qualquer motivo que seja, significa perder um tesouro. O amigo verdadeiro não é aquele que concorda com tudo o que a gente faz ou deixa de fazer; o amigo verdadeiro é aquele que nos conhece de verdade, que tem clareza sobre nossos limites e nossas virtudes e, mesmo assim, continua ao nosso lado, acompanha nossa existência. É compreensível o sofrimento pela perda de amigos verdadeiros.

Enquanto lia a pesquisa, foi crescendo a minha curiosidade para saber o resultado final desse trabalho; estava curioso para saber qual a razão número um que faz dilacerar o coração humano. Segundo a pesquisa, o que mais faz sofrer o coração humano é a dor dos pais que sepultam seus filhos. Lembro que quando meu irmão, Francisco Carlos Rodrigues faleceu, aos 26 anos de idade, vítima de um acidente automobilístico, no dia 15 de julho de 1991, meus pais ficaram desfigurados. Não somente choraram, mas chegaram

DA DOR AO AMOR

a desmaiar de tanta dor. Perder um filho contraria toda a lógica da vida, contraria toda a lógica do próprio amor, pois os pais – parece-me que por natureza – são capazes de dar a vida por seus filhos e, quando a morte visita uma família e leva um dos filhos, a impotência domina os genitores.

Como padre, uma de minhas funções é amparar as pessoas nos instantes difíceis, entre eles o momento do luto. Assim, já participei de vários velórios, mas nunca me esqueço de quando fui ao velório de um jovem e, presenciando tantas lágrimas de seus pais, refleti que aquela parecia ser uma dor inconsolável. Falei para a mãe: "É um pedacinho da senhora que está indo". E ela rapidamente disse: "Não é um simples pedacinho, mas é, sim, um pedaço grande. É uma parte de mim que morre; é parte do meu coração".

Diante de tudo isso, me veio à lembrança a história real de um político muito conhecido em nosso país. Quando um dos filhos dele faleceu, muitos imaginavam que seria o fim desse homem forte, devido à sua grande ligação com o filho, um filho que seria o sucessor político do pai. A atenção se voltou para o pai. Como ele resistiria a esse golpe da vida? A morte não manda recados: veio e ceifou a vida de seu filho. Muitos apostavam na saída desse pai da cena política.

Poucos dias depois, durante uma entrevista coletiva, o pai deixou clara a sua escolha por superar a dor e viver no amor. Ele declarou: "De agora em diante farei tudo com mais intensidade; farei tudo com mais esmero, pois farei tudo por mim e por meu filho. Vou carregá-lo no meu peito, no meu coração e para onde eu for. Vou lutar por mim e por ele; vou sonhar por mim e por ele; vou trabalhar por mim e por ele; enfim, vou viver por mim e por ele".

A vida é verdadeiramente feita de escolhas. Não é nada simples optar por trilhar o caminho da dor para o amor, mas é e sempre será a melhor opção para o nosso coração. O luto faz parte da vida, mas a vida não pode se transformar num luto. Quem crê também chora, mas o choro é tocado e regado pela fé, pela certeza de que Aquele que me permite chorar é também Quem me dá o consolo; pois quem crê sente em si mesmo que Deus enxugará todas as lágrimas (Cf. Ap 21:4). O importante é enxergar nos desafios, por mais doloridos que sejam, a oportunidade para amadurecer e para se fortalecer diante dos embates da vida.

Muitos que estão lendo estas linhas já passaram pela dor do luto. Você pode já ter sepultado seus pais, irmãos, marido, esposa, avós, tios, netos, sobrinhos, amigos ou, quem sabe, filhos. Na hora da perda, na hora do luto, as palavras não têm força suficiente para nos consolar. Mas, com o tempo, com a graça de Deus, com o abraço da família e dos amigos e com o nosso esforço pessoal, conseguimos continuar levando adiante o nosso projeto de vida.

Mesmo não sabendo quanto tempo faz que você vive a dor de um luto, acredito, com toda a força, que quanto mais desejar viver por você e por essa pessoa amada que já cruzou o limiar da esperança, tanto mais forte você será, tanto mais brilho terá em seus olhos e tanto mais razões terá para viver.

Para quem vive um luto, para quem sepulta alguém que ama, a saudade é implacável. Porém a saudade é filha do amor. Só sente saudade quem ama. Na saudade, louve a Deus, pois ela é sinal da sua capacidade de amar. Lembremo-nos do que escreveu, certa vez, o filósofo francês Gabriel Marcel: "Amar alguém é dizer-lhe: Tu não morrerás jamais!" Amar alguém é gerar na pessoa "sementes de eternidade". Por isso, em nome desse amor, por mais desafiador que seja, continue indo da dor para o amor.

Senhor Bom Jesus, abençoa os homens que receberam a missão da paternidade, dando a eles força em suas lutas, fé em suas vidas e sabedoria em suas decisões.

Fica com os nossos pais nesta vida e na eternidade. Protege os caminhos que cada pai irá trilhar, iluminando, Senhor, o presente e o futuro da sua caminhada.

Senhor Bom Jesus, Te pedimos, sobretudo, a bênção e a paz para que eles sejam amparados e socorridos na hora do sofrimento. Amém!

Casos
de família

"FELIZES OS QUE PROMOVEM A PAZ, PORQUE SERÃO CHAMADOS FILHOS DE DEUS."

(Mt 5:9)

*M*uitas pessoas se lembram com saudade daquele tempo em que os negócios eram feitos "no fio do bigode", ou seja: a palavra de um homem valia mais do que qualquer documento, nota promissória ou contrato assinado e registrado em cartório. É uma pena que hoje não vejamos com frequência este belíssimo costume, que era muito comum no tempo dos nossos pais, avôs e bisavôs. Claro que isso ainda existe, mas não é tão frequente.

Parece que têm aumentado as histórias e situações em que pessoas são enganadas, passadas para trás e decepcionadas por amigos próximos. Evidentemente, os golpes do "bilhete premiado", do "carro sorteado", da "herança deixada" ainda chamam a atenção e nos deixam de boca aberta. De modo geral, porém, esses golpes deixam-nos o consolo de que são dados por pessoas desconhecidas. O que decepciona, por outro lado, é quando o golpe vem de pessoas muito próximas a nós: o dinheiro que você empresta para o melhor amigo e do qual nunca mais vê a cor; o momento em que você, em nome da confiança e da amizade, torna-se avalista de um empréstimo ou fiador de um aluguel de casa e, com indignação, percebe que seu nome está "sujo" no mercado. Além de você perder dinheiro e, às vezes, até seu prestígio, aquela amizade se transforma num grande pesadelo. Você fica perplexo tentando entender o que levou seu amigo a agir dessa maneira com você. E, assim, vamos "tocando o barco para a frente", pois mesmo diante das decepções que a vida e as pessoas nos impõem não podemos parar. Precisamos tocar em frente.

Provavelmente quem estiver lendo este livro já ouviu falar de alguma história desse tipo – ou até já a viveu. O dramático mesmo é quando sociedades e relações comerciais são rompidas por membros da própria família, deixando marcas e feridas para a vida inteira. Esses dilemas são muito difíceis de superar. As cicatrizes que ficam precisam de tempo e de muito amor para ser curadas. Quando alguém, que tem o mesmo sangue, passa o parente para trás, quando membros da mesma família se enganam e trapaceiam, causam uma verdadeira catástrofe no seio familiar.

DA DOR AO AMOR

Conheço um casal muito querido que tem uma filha linda. É uma família bonita, não só pelos traços físicos, mas também, e sobretudo, por causa da fé e da confiança em Deus, que regem e iluminam suas vidas. Há algum tempo essa família está numa verdadeira batalha, experimentando sabores e dissabores da vida. Por algumas vezes ouvi deles a seguinte frase: "Padre, quando as coisas estão começando a caminhar, vem alguma surpresa que nos faz dar alguns passos para trás".

Seu sofrimento atual é consequência de um comportamento nada amistoso e muito menos fraterno de pessoas da família que tiraram quase tudo da atividade profissional deles. Levaram embora dinheiro, material e clientes, deixando-os com dívidas e compromissos assumidos sem a menor condição de serem honrados. Eram sócios, deixaram a sociedade, e o que sobrou foi desencanto, desalento, ira, revolta, dúvida e necessidade de dar a volta por cima.

Eles poderiam tentar fazer justiça com as próprias mãos. Tudo poderia ficar bem pior, levando a uma dor insuperável caso optassem por violência, ofensa, processos na justiça ou algum outro caminho que não fosse o diálogo e a tentativa de resolver tudo de modo pacífico. Até onde pude acompanhar pessoalmente a situação, constatei uma grandeza de alma admirável por parte daqueles que saíram prejudicados. O casal optou por "dobrar as mangas da camisa", rezar pelos familiares que foram desonestos e continuar lutando, mesmo diante de toda a crise econômica que tem amargurado seus corações.

Esse modo de agir pode parecer uma grande derrota para a família, vítima da desonestidade e ganância de alguns de seus próprios membros; e ainda devo deixar claro que cada caso é um caso e, dependendo das circunstâncias, não podemos nos eximir de acionar os caminhos da justiça. O que desejo mostrar aqui é que existe um caminho mais justo que a própria justiça, um caminho de esperança e de diálogo, pois, na medida em que essa família perseverou na busca de uma vida nova, de um momento novo, de um tempo novo, essa aparente derrota possibilitou um verdadeiro amadurecimento e até mesmo novas conquistas incomparáveis às que tinha obtido no passado. Na vida é assim: ganhamos e perdemos; erramos e acertamos; caímos e nos levantamos. Porém, quando, nas diversas circunstâncias da vida, caminhamos da dor para o amor, as maiores dificuldades se transformam nas maiores vitórias.

Senhor Bom Jesus, sabemos e cremos que a nossa família é uma bênção. Por isso, recorremos a Ti nesta hora. Fica conosco, fica com a nossa família, para que consigamos superar todas as provações, saindo ainda mais fortalecidos de cada tempestade. Inspira--nos a sermos firmes e fortes, como a Tua Sagrada Família. Que nas noites traiçœiras e escuras olhemos para Ti com confiança e fé.

"Jesus, Maria e José, nossa família vossa é." Amém.

Perseverar para vencer

"AQUELE, PORÉM, QUE PERSEVERAR ATÉ O
FIM, ESSE SERÁ SALVO."

(Mt 24:13)

Um dos maiores desafios que temos na vida é, talvez, o de persistir em nossos sonhos e ideais. Muitas vezes, sabemos que a perseverança conduz à vitória, porém nem sempre conseguimos perseverar, sobretudo quando caminhamos entre pedras e espinhos. As provações e as decepções nos balançam e nos provocam. Somos tentados a desistir. Em certas circunstâncias, temos a nítida impressão de que o melhor caminho e a escolha mais acertada é desistir. Quando desistimos, paramos de incomodar e já nem somos mais questionados com tanta frequência.

A perseverança é um belo tema para ser meditado – e ótimo para escrever sobre ela. Na teoria, uma beleza; na prática, se torna uma virtude que exige renúncia, dedicação e força de vontade para torná-la real em nossa vida. É como o povo diz: "Fácil de falar, mas difícil de viver, de praticar". Muitas pessoas começam um monte de coisas e não terminam quase nada. Em quantas segundas-feiras já iniciamos alguma reeducação alimentar?! Quantas vezes iniciamos o curso de inglês ou de outra língua? Quantas vezes já começamos e paramos com a natação, a musculação ou alguma outra atividade?

Nem todos os que iniciam um curso na faculdade chegam a terminá-lo. E, de fato, numa vida de tantos compromissos é difícil perseverar em tudo o que começamos. Dizem que "querer é poder", mas nem sempre, pois o ser humano é o ser dos desejos e nem sempre as circunstâncias favorecem que os seus desejos se tornem realidade.

Evidentemente, essa constatação não pode nos desanimar. Não é porque muitos desistem que vamos desistir também. Os nossos olhos precisam se voltar para os que vão em frente, mesmo em meio às tempestades, chuvas e vendavais.

Se observarmos com atenção à nossa volta, encontraremos muitas histórias de vida marcadas pela desistência. Mas também encontraremos incontáveis histórias de homens e mulheres de diversas áreas da sociedade que são protótipos de perseverança. Precisamos buscar inspiração naqueles que perseveram e não nos justificarmos com os exemplos daqueles que desistem ou que param no meio do caminho.

DA DOR AO AMOR

O ideal é eleger prioridades para a nossa vida. Precisamos ter sonhos na mente e no coração. Acredito que as pessoas não começam a morrer quando ficam enfermas ou quando sofrem algum acidente, mas quando deixam de sonhar, quando perdem a capacidade de ter projetos para sua vida. Não importa a idade e muito menos o grau de escolaridade, ou ainda a classe social: basta ter sonhos. Em todas as épocas da nossa vida, podemos gestar sonhos dentro de nós mesmos.

São muitos os exemplos de pessoas que conseguiram prosperar profissionalmente depois dos 40 anos de idade. Nunca é tarde para sonhar e começar um novo caminho; nunca é tarde para reconstruir um plano ou ideal que ainda está vivo dentro de nós.

Algumas pessoas encolhem-se diante da possibilidade do fracasso. Se o fracasso é uma possibilidade, seguramente o êxito também precisa ser visto como possibilidade. É melhor sofrer por ter fracassado tentando acertar do que viver numa "área de conforto", sem nunca tentar nada de novo na vida. Como diria o poeta: "É preferível sofrer por um amor não correspondido do que nunca experimentar o que é amar".

Já faz algum tempo, mas cada vez que me lembro é como se tivesse acontecido hoje: em 2004, quando acontecia a tradicional maratona de encerramento da

28ª edição dos jogos da Era Moderna na Grécia, o atleta Vanderlei Cordeiro de Lima estava em ótima colocação e tudo indicava que chegaria em primeiro lugar e ganharia a medalha de ouro. Porém, num determinado momento da prova, um senhor invade a pista e o agarra, atrapalhando o atleta. O bravo corredor poderia ter desistido ali, naquele exato momento. Poderia ainda ter travado uma briga física com aquele homem desequilibrado. Poderia sentar--se e chorar por causa do triste episódio. No entanto, ele preferiu ir da dor ao amor, ou seja: conseguiu se desvencilhar do agressor e seguiu em frente até cruzar a linha de chegada.

Vanderlei foi saudado e acolhido por todos, que, emocionados, em pé, aplaudiram o "campeão" que chegara em terceiro lugar. Sim, pois ele foi o grande campeão da prova, embora não tivesse ganhado a medalha de ouro. Ganhou a medalha de bronze com gosto, sabor e valor de ouro. O seu bronze o conduziu aos milhares de pódios no coração das pessoas que acompanhavam a maratona na vila olímpica e das que a acompanhavam pela televisão, em transmissão ao vivo.

Na longa estrada da vida nos deparamos com muitos obstáculos, e nenhum pode ser forte o suficiente para nos fazer desistir de nossas "maratonas".

Ninguém e nada pode nos impedir de gostar de viver, de querer viver. Nada pode nos abalar o suficiente para desistirmos do amor e de amar. Até o último suspiro, devemos desejar a vida e querer viver.

Ouvi, numa Missa, um bispo querido e amigo dizer: "Os covardes nunca começam; os desanimados nunca terminam e os que vivem movidos pela força da fé e da perseverança nunca desistem". Mesmo quando os prognósticos não são dos mais favoráveis, optemos sempre pela perseverança nos nossos sonhos e ideais. Se perseverarmos até o fim, à luz da fé e da esperança, as nossas maiores dificuldades se transformarão nas nossas maiores vitórias.

Senhor Bom Jesus, temos em nosso coração muitos sonhos, ideais e projetos. Mas encontramos ao longo do caminho muitas pedras e espinhos, provações e lutas. Por isso, Te pedimos, dá-nos a graça de perseverar sempre, livrando-nos de todo mal. Dá-nos um coração firme e cheio de amor, capaz de tornar-se ainda mais forte diante dos vendavais e "tsunamis" espirituais pelos quais passamos. Dá-nos a graça da perseverança, para nós, para nossos amigos e para nossa família. Amém.

A riqueza da juventude

"MEU FILHO, NÃO ESQUEÇAS MINHA
INSTRUÇÃO, GUARDA NO CORAÇÃO OS MEUS
PRECEITOS; PORQUE TE DARÃO LONGOS DIAS
E ANOS, VIDA E PROSPERIDADE."

(Pr 3:1-2)

*P*or diversas vezes me vem ao coração uma recordação que jamais será apagada da minha memória: o grande encontro do papa Bento XVI com a juventude brasileira, no Estádio do Pacaembu, em São Paulo. Foi no início da noite do dia 10 de maio de 2007. Mais de 30 mil jovens aguardavam ansiosamente a chegada do papa. Quando seu "papamóvel" foi avistado, o sol já se tinha posto e iniciava-se uma noite memorável. Os jovens foram ao delírio; bispos e padres, religiosos e gente de toda idade acolhia Bento XVI com gritos e aplausos, ávidos por ouvir uma mensagem de esperança. O estádio inteiro ficou iluminado pelos *flashs* das câmeras fotográficas e de celulares, mas, sobretudo, pelo entusiasmo e pela alegria da juventude. A explosão de alegria foi tão contagiante que até o papa fez menção a ela em sua mensagem.

Quando Bento XVI começou a conversar com a juventude, houve um silêncio tão grande que aquele enorme e lotado estádio parecia estar vazio. Era o silêncio dos corações abertos para ouvir uma palavra de amor, de ânimo e de coragem. A mensagem do papa ressaltou que a juventude possui uma riqueza em si mesma. E é verdade. Que tempo bonito este da nossa juventude, quando os sonhos e as esperanças se multiplicam em cada amanhecer. Sentimo-nos potentes e capazes de transformar o mundo. Somos fortes o suficiente para suportar horas, noites e madrugadas acordados e ainda enfrentar, na sequência, duras jornadas acadêmicas ou de trabalho. Na juventude não temos ainda a experiência que o tempo nos dá, mas possuímos a ousadia de pensar como gigantes, pela própria natureza.

A juventude é uma grande riqueza. Essa riqueza não vem somente da exuberância própria da época, mas também se origina da história de cada jovem que já viveu muitas coisas na vida e que tem, diante de si, portões, janelas e veredas abertos para novos horizontes que se multiplicam e se oferecem. A riqueza própria da juventude torna a vida ainda mais dinâmica e repleta de possibilidades.

É muito triste quando vozes se levantam contra a juventude. É lamentável quando se difunde a equivocada ideia de que "a nossa juventude está perdida"

DA DOR AO AMOR

ou, ainda, quando se diz que "a juventude não tem futuro; não pensa por si só, não se envolve, não está disposta a ser protagonista de um novo tempo e de uma nova história". Precisamos dizer ao mundo inteiro que a nossa juventude tem história e faz a História. Os jovens precisam sentir que são amados de verdade. Quando se conquista o coração de um jovem, se conquista um sonhador, um forte guerreiro que se dispõe a ajudar no que for preciso, a qualquer dia e a qualquer hora. Nesse sentido, Dom Bosco dizia: "Não basta dizer que se ama o jovem. O jovem precisa sentir que é amado".

Por muitas vezes já tive a honra de falar aos jovens nos mais diferentes lugares: igrejas, escolas, ruas, e nas suas casas. Nem sempre é tarefa fácil. Porém, quando conseguimos estabelecer um diálogo à luz do respeito, do carinho e da amizade, sempre nascem boas ideias e bons frutos. Às vezes alguns pais nos pedem que chamemos a atenção de seus filhos com broncas e cobranças. Mas será que esse é o caminho mais pedagógico?

Acredito muito que, no processo educacional e formativo dos jovens, pais e educadores precisam ser firmes com suavidade e suaves com firmeza. Um jovem nunca será tocado pela força, mas, sim, por atração. Eles precisam ser atraídos por um sonho, um ideal, um caminho, uma possibilidade, uma ideia, um projeto.

Certa vez fui chamado a falar para alunos do Ensino Médio; era uma atividade prevista em um projeto que vem sendo desenvolvido em Pirapora do Bom Jesus, na Grande São Paulo, cujo tema era "Pirapora e sua história". Dentre as várias coisas que partilhei com os alunos, destaquei que o futuro de uma cidade também está nas mãos da juventude, visto que o futuro não começa daqui a um tempo: o futuro começa hoje, no aqui e agora em que vivemos. Todo jovem pode colaborar com sua cidade, com seu bairro e com sua rua. O ideal é que o jovem tenha no coração a disposição de conhecer, amar e servir sua cidade e sua gente.

A juventude nos encanta! Suas histórias nos cativam. Sempre que reflito sobre a juventude, me lembro de um jovem que, depois de ter concluído o curso de Direito e ter passado na primeira fase do exame da OAB (Ordem dos Advogados do Brasil), começou a viver um grande drama, uma grande provação: "enroscou" na segunda fase. Foi reprovado uma, duas, três, quatro, cinco, seis vezes! A impressão é que aquele drama tinha se transformado num trauma.

DA DOR AO AMOR

Ele ia para o exame com o peso das reprovações anteriores. Ele poderia ter desistido no meio do caminho, pois aquela situação já tinha sido motivo até de chacota por parte de alguns amigos e familiares. Querendo ou não, é uma humilhação. Quando somos reprovados repetidas vezes, nos sentimos envergonhados e até inferiorizados. Por outro lado, quando uma pessoa insiste em conquistar o que almeja, revela a grandeza da sua alma e a sua própria virtude. Foi exatamente isso que esse jovem fez. Ele continuou tentando até conseguir. Passou da dor da humilhação para a força do amor, que nos faz ir além de nós mesmos. O exemplo dele pode trazer uma grande luz para as mais diferentes áreas da vida humana:

É necessário continuar para aprender melhor e aperfeiçoar mais. Imagine se tivéssemos desistido de andar quando caímos pela primeira, pela segunda e em tantas outras vezes?!

A história desse jovem ilustra a mensagem do papa Bento XVI, em 2007, no Estádio do Pacaembu; este é um dos incontáveis e belos exemplos da "juventude que traz uma riqueza em si mesma". É esse espírito de luta, de determinação e força de vontade que torna a nossa juventude ainda mais rica e admirável. É da natureza da juventude lutar sempre e jamais desistir daquilo que faz o seu coração pulsar, dos sonhos que os movem sempre para a frente. Se olharmos com atenção à nossa volta, encontraremos muitas histórias verdadeiras de jovens que fizeram e continuam fazendo o caminho difícil, mas sempre compensador, da dor ao amor.

Senhor Bom Jesus, jovem galileu, que acolheste e olhaste para a juventude do Teu tempo com carinho e respeito, indicando o caminho a seguir para alcançar a vida eterna, santifica os nossos jovens, libertando-os de todas as dependências e enfermidades físicas e espirituais.

Derrama, Senhor, sobre a nossa juventude o fogo do Teu Espírito Santo, inflamando-a a viver um novo Pentecostes, para que os jovens sejam plenamente livres. Fica sempre com os nossos jovens, sendo o amigo certo de todas as horas. Amém.

Marcas que ficam

"TODO AQUELE QUE ESTÁ EM CRISTO É UMA NOVA CRIATURA. PASSOU O QUE ERA VELHO; EIS QUE TUDO SE FEZ NOVO."

(2Cor 5:17)

$\mathcal{T}$razemos conosco lembranças das diversas fases da nossa vida. Algumas delas são intensas e outras passageiras, mas sempre nos recordamos de algo. Quanto mais o tempo passa, mais a nossa memória consegue resgatar imagens, cenas e acontecimentos do passado longínquo. O cérebro humano é misterioso e admirável! É impressionante o fato de que nos esquecemos do que não deveríamos e nos lembramos, com frequência, daquilo que deveríamos ter deixado para trás, nos libertando de recordações que nos fazem mal. Parece que não temos controle sobre nossa memória. Em algumas situações até nos esforçamos para isso, mas aparentemente em vão. Há fatos que sabemos que seria melhor superarmos, despindo nosso cérebro da sua lembrança; no entanto, dormimos e acordamos com eles vivos dentro de nós, com a impressão de que são atuais, que aconteceram ontem.

Somos o que somos também por influência do que nos acontece. Nossas ações e reações estão conectadas com a nossa história. Até mesmo nossa personalidade tem a ver com aquilo que vivemos e sentimos desde a nossa concepção. Quando atingimos a idade madura, a nossa vida está impregnada daquilo que vivemos na infância, na adolescência e na juventude. Os choros e os sorrisos de nossos pais e familiares influenciam a formação do nosso ser e agir. As derrotas e as vitórias da nossa família deixam registros indeléveis dentro de nós. Acidentes, perturbações, inquietudes e serenidades vão fazendo de nosso intelecto um mosaico. Nada fica desligado de nós. No consciente ou no inconsciente existem lampejos, sombras e luzes de todas as épocas do nosso desenvolvimento psicológico e afetivo.

É de suma importância estar atentos ao que falamos e fazemos perto das crianças, adolescentes e jovens que cruzam o nosso caminho. As influências podem ser negativas ou positivas. Pais e educadores, bem como pessoas que têm alguma liderança ou destaque em seus afazeres profissionais, seguramente são olhados como referências por muitos adolescentes e jovens. Precisamos de "ícones" que nos inspirem e nos motivem a ter ideais e sonhos. Nesse sentido, a nossa responsabilidade nos desafia, pois sempre somos olhados, admirados e imitados por alguém. É claro

DA DOR AO AMOR

que não podemos renunciar à nossa espontaneidade, ao nosso modo de ser, mas precisamos ser sábios e prudentes e ter consciência de nossa corresponsabilidade na educação das novas gerações.

Os medos que temos ou a timidez que nos distancia das oportunidades e a insegurança que nos afasta dos outros e de nós mesmos às vezes vêm de uma época bem remota de nossa vida. Existem pessoas que passam a vida inteira sofrendo, fechadas em si mesmas e aterrorizadas pelos "fantasmas" que as acompanham há décadas. Não podemos fingir que eles não existem ou simplesmente ignorá-los, muito menos desistir de enfrentá-los em algum momento da nossa vida. Essas marcas são como feridas que, para cicatrizar, precisam ser tratadas e medicadas. Remédios bons fazem arder nossas feridas, mas são imprescindíveis no processo de cura.

Tudo o que nos feriu no passado ou continua a nos ferir no presente precisa ser constantemente revisto. O ideal consiste em descobrir um meio eficaz que nos ajude a conseguir bom êxito nessa luta. É um equívoco pensar que não seja possível vencer traumas, complexos e bloqueios que nos prejudicam tanto. Simples e fácil não é! E impossível também não. Claro que isso exige esforço, força de vontade, determinação, fé e esperança. Em primeiro lugar, precisamos tomar consciência deles, desejando, de coração, superá-los.

Navegadores e marinheiros experientes dizem que quando uma embarcação é surpreendida por um mar bravo e ondas agitadas – que colocam em risco a vida das pessoas, podendo levar ao naufrágio – a ordem é jogar fora o que está sendo um peso para todos. Não é fácil decidir o que jogar fora. De modo geral somos apegados ao que temos, mas para salvaguardar a nossa vida devemos despejar no mar objetos, malas e pertences. É assim que vejo os pesos que carregamos conosco. A vida é uma viagem, é uma embarcação. Os desafios são os ventos, as ondas e até mesmo a fúria do mar. Para que não sejamos engolidos pelas ondas do mar da vida, é necessário "jogar" fora traumas e complexos que tornam a nossa viagem ainda mais pesada. Um dos meios para uma vida nova é este: jogar fora todas as lembranças que nos fazem sofrer. Quanto mais nos libertamos de lembranças ruins, mais firmes ficamos para seguir em frente. Diante das tribulações é preciso ter atitudes de lutador e proclamar sempre: "A minha vida não vai naufragar".

Coisas que vemos, ouvimos e vivemos no passado podem influenciar, e muito, no presente e até comprometer o nosso futuro. Precisamos reagir quando percebemos alguma sombra de opressão interior sobre qualquer coisa que tenha acontecido na nossa vida. Coisas que parecem ser pequenas e bobas podem ir se acumulando e virar uma pedra no caminho. Por exemplo: numa discussão entre adolescentes, ambos começaram a se agredir com palavras ofensivas. A discussão foi ficando acalorada, até que um disse para o outro: "Você não vale nada. Você nunca será alguém na vida". Essa expressão foi tão forte, que silenciou o outro – o qual foi embora derramando lágrimas. Uma frase dessa fere o nosso íntimo. De repente não foi na adolescência, mas em outra fase da nossa vida que ouvimos de alguém algo parecido com isso. E diante de uma frase assim não podemos nos entregar.

Ninguém pode se prostrar diante de uma palavra má que lhe é dirigida. A atitude ideal é fazer um caminho da dor ao amor, ou seja: ao invés de nos entregarmos à murmuração, à reclamação ou ao pensamento negativo, é necessária uma atitude de reação; precisamos reagir declarando que nascemos para superar, para vencer. É evidente que na prática isso não é nada simples e nem fácil. Porém, quanto maior for a dificuldade, maior for o esforço, tanto maior será também a vitória. Entregar-se à dor significa convencer-se de que o desejo de insucesso que alguém me dirigiu vai se realizar mesmo. Optar pelo amor significa ir em frente; significa acreditar que o amor vence a dor, que a esperança vence a angústia, que o esforço nunca será em vão e que, se há alguém para me desejar o mal, existe um Deus Amor que quer o meu bem. A Palavra de Deus e Sua promessa afugentam toda maldição, derrubam as barreiras e fazem novas todas as coisas (cf. Ap 21:5).

Senhor Bom Jesus, todos nós carregamos profundas marcas em nosso coração e em nossa vida. Dá-nos a graça de superarmos os traumas e os bloqueios que nos acompanham há tanto tempo, tornando-nos escravos de lembranças desagradáveis. Ajuda-nos, Senhor, a nos lembrarmos de coisas boas e superarmos os acontecimentos que nos constrangeram. De coração aberto, Te suplico: dá-nos a bênção de lembrar aquilo que nos faz felizes e nos realiza como pessoas e membros do Teu Povo e da Tua Família. Amém.

Sobreviver

"E EIS QUE EU ESTOU CONVOSCO TODOS OS DIAS, ATÉ A CONSUMAÇÃO DOS SÉCULOS."

(Mt 28:20)

Não se pode negar um dado: a palavra tem poder. Se podemos, com nossas palavras, criar e recriar condições e situações, o que podemos dizer da Palavra de Deus? A Palavra de Deus cria e recria tudo, faz novas todas as coisas; ela traz a luz que dissipa as trevas e transforma em comunhão aquilo que está desorganizado e confuso.

Nas celebrações litúrgicas, quando a Palavra de Deus é proclamada, sempre se conclui dizendo: "Palavra do Senhor", e o povo responde: "Graças a Deus". Também após o anúncio do Evangelho, o diácono ou o padre conclui dizendo: "Palavra da Salvação", e o povo responde: "Glória a vós, Senhor". A Palavra da Bíblia é do Senhor, e com essa Palavra o Senhor nos promete e nos garante a Salvação. Na Bíblia encontramos narrativas históricas, mas ela não é apenas um livro de história; encontramos mapas e localizações, porém não é um livro de geografia. A Bíblia não é um conto de fadas e muito menos um livro de lendas. A Bíblia é a Palavra de Amor de Deus para toda a humanidade. Podemos afirmar, a partir da fé, que a Bíblia é o Pão da Palavra que alimenta o coração do cristão e da comunidade de fé, da família de Deus. O Povo de Deus precisa dessa Palavra, que tem poder para iluminar, para ensinar, para alimentar e para salvar. Como é salutar quando pessoas, grupos e comunidades buscam suas inspirações na Palavra de Deus! Tudo o que fazemos sob a luz da Palavra de Deus prospera e nos conduz ao êxito, porque essa Palavra tem poder de verdade.

Já afirmamos isso, mas nunca é demais dizer: a Palavra de Deus tem poder! Mas também a palavra que falamos tem poder. A palavra que dizemos para os outros e para nós mesmos tem grande poder na nossa vida. A palavra que proferimos, na alegria ou tristeza, tem poder de influenciar aquilo que fazemos, os sonhos e projetos que idealizamos. É tão sério quando proclamamos sentenças de derrota, de pessimismo ou negativismo para os outros e para nós mesmos! É tão nocivo quando vivemos nos lamentando, transformando a nossa vida e a vida dos outros num grande "muro das lamentações", dizendo que nascemos para sofrer, para perder ou para viver na tristeza!

A Bíblia diz que "a boca fala daquilo de que o coração está cheio" (Mt 12:34). Assim, vale a pena pensarmos como está o nosso coração. O nosso coração está cheio de graça ou de discórdia? O nosso coração tem sido irrigado pela força do amor ou pela força da mágoa, do ódio, da vingança? O nosso coração está impregnado de derrotas e de tempestades ou tem calmaria e bonança dentro dele?

Somos capazes de dizer uma palavra de esperança no meio das tribulações e desafios da vida? Somos capazes, como o Profeta Isaías, de dizer aos deprimidos: "criai ânimo, coragem" (cf. Is 35:4)? Somos capazes de testemunhar que amamos o Senhor, como o salmista, no Salmo 144, quando diz que acredita que Ele ouve o grito da sua oração? Em meio aos "tsunamis" da vida, conseguimos elevar uma prece em voz alta, como nos ensina outro Salmo: "Salvai, ó Senhor, minha vida" (Sl 114:4)? Ou simplesmente nos damos por vencidos, derrotados e caídos?

Enfim, o que tem saído de nossa boca é determinante. E, antes de nos preocupar com o que tem saído por ela, cuidemos de alimentar o nosso coração com palavras de esperança, com sentimentos de bondade, gratidão e sensação de alegria, de força e convicção.

Contam que, numa corrida de Fórmula 1, um conhecido piloto sofreu um grave acidente, que o levou quase à morte. No meio daquela correria, do desespero, das incertezas e medos, enquanto os médicos aplicavam os primeiros socorros, alguém teria dito: "Este já era. Não tem mais jeito". Que palavra forte! A gente nunca deve dizer "Esta pessoa não tem mais jeito", "Este problema não tem mais solução". Ou "esta doença não tem cura". Tais palavras e frases precisam ser abolidas do nosso dicionário e da nossa comunicação. Não podemos ser anunciadores da morte, do fim, da derrota ou da destruição. Pelo contrário: da nossa boca precisam sair sempre palavras e frases que concedam esperança, até mesmo quando tudo indica que não há mais nada a fazer. Isso não significa iludir, enganar ou alienar-se da realidade, pois mesmo quando chega a nossa hora de cruzar o limiar da esperança, de realizar a nossa passagem, é bom que partamos ouvindo e proclamando palavras de vida e de vitória. Assim, faremos acontecer em nossas vidas aquilo que diz aquela antiga e sempre nova canção: "Vitória, tu reinarás! Ó Cruz, tu nos salvarás!" A Cruz é uma realidade de dor, porém a esperança nos faz vê-la e anunciá-la em um contexto de salvação. Se de um lado a Cruz nos traz a dor e o Calvário, ela também nos garante a remissão e a salvação.

Esse piloto, segundo contaram, estava desacordado e inconsciente e, mesmo naquele estado limitado, ouviu a sentença negativa "Este já era. Não tem mais jeito". Ele ouviu e, lá no seu íntimo, não aceitou isso. Embora não conseguindo emitir nenhuma fala, nem mesmo qualquer gemido, ele conseguiu reunir uma força sobrenatural capaz de lhe permitir dizer, no mais íntimo do seu ser: "Não! Nem tudo está perdido. Tem jeito, sim. Estou aqui. Quero sobreviver, provar que estou vivo". É assim que se vive. Mesmo através do mais frágil suspiro se proclama a vitória da vida. A verdade é esta: a vida vence a morte.

Não fomos feitos para a morte. Fomos feitos para a vida. A morte não tem a última palavra sobre nós. A morte não coloca um ponto final na nossa existência. À luz da fé e da esperança na Palavra de Deus, a morte é uma "não morte", é nascimento e passagem para a vida eterna.

A história desse piloto termina com ele sobrevivendo, escapando da morte. Passados os dias, depois da sua recuperação e da alta da UTI, ele teria procurado aquela pessoa para um colóquio amigável e, na conversa, surgiu a grande lição de vida: "Nunca diga a ninguém que não tem mais jeito, pois até quando nossa vida está coberta de cinzas podemos sobreviver".

A palavra tem poder... nunca é demais afirmar. Nas sombras e luzes da nossa vida, nos altos e baixos, nas derrotas e nas vitórias, busquemos na Palavra de Deus a força de que tanto precisamos para que nossas palavras sejam de superação, de conquistas, de vida nova. Na simplicidade da Palavra, do Evangelho da vida e da alegria, que nos convida a olhar os lírios do campo, a ovelha e a moeda perdida, a videira e os ramos, o grão de mostarda, a vida agrícola e pecuarista, é que podemos encontrar razões para que nossas palavras sejam também simples, mas sempre se abrindo para novos horizontes, para novas perspectivas.

A vida humana, apesar das cruzes e dos calvários, é bela, criativa e dinâmica. A vida pode ser restaurada mesmo depois de acidentes no percurso. A nossa vida pode ser recriada mesmo depois de nos machucarmos com as quedas que nos surpreendem e nos impressionam. Em todas as circunstâncias que vivemos no passado, no presente, ou que viermos a viver no futuro, poderemos percorrer o caminho da dor ao amor, à luz da palavra, que tem poder.

Senhor Bom Jesus, há momentos em minha vida em que tenho a sensação de que estou morrendo. Sinto que não vivo com o entusiasmo em que vivia antes. Senhor, por diversas razões, não amo como já amei um dia, não consigo sorrir de verdade, sentindo uma tristeza interior. Por isso, Senhor, Te peço: vem me visitar com a Tua misericórdia infinita que vai além das minhas fraquezas e limitações. Vem, Senhor, me ungir, dando-me a força para sobreviver. Faze, Senhor, que eu continue a cumprir a minha missão, mostrando ao mundo inteiro que estou vivo na fé, na esperança e no amor. Amém.

Somos todos filhos de Deus

"FITANDO-O, JESUS O AMOU..."
(Mc 10:21)

Eu conheci este rapaz e falei com ele, que partilhou comigo o que lhe aconteceu. Ele entrou numa loja para comprar um *notebook*. Fez o que todo mundo faz na maioria das vezes. Ficou olhando peça por peça, analisando preços, vendo qual produto seria mais adequado. Foi, então, surpreendido por um dos vendedores, não pelo atendimento atencioso e diferenciado, mas pela rispidez com que foi abordado. O modo como foi tratado expressava mais desconfiança e reserva do que o desejo de saber qual seria a sua necessidade.

Este rapaz que procurava um computador tinha dinheiro para comprar à vista, porém queria analisar qual seria a opção que melhor iria satisfazer a sua necessidade. A maneira como foi abordado já o incomodou. Dava a impressão de que o vendedor queria que ele saísse o mais rápido possível da loja. Era, realmente, algo, extremamente constrangedor. A situação toda despertou neste rapaz, que é distinto e honesto, indignação e inconformismo. Ele precisava do equipamento, a loja o tinha e ele tinha dinheiro suficiente para comprá-lo. Porém saiu sem efetuar a compra. Por quê? Porque o atendimento foi marcado pela discriminação.

O rapaz, negro, magro, alto e muito distinto ficou inconformado com a maneira displicente com que foi atendido e que evidenciava que ele era uma *persona non grata* naquela loja. Ficou indignado porque sentiu que era tratado como um risco para a segurança e olhado com suspeita. Seguramente qualquer pessoa se sentiria incomodada, razão pela qual ele decidiu ir embora sem comprar nada e sem fazer desaforos também. Achou melhor e mais razoável simplesmente ir embora, ir a outra loja ou mesmo desistir da compra.

Porém, ao sair da loja, a cada passo que dava na direção do "ir embora", do "desistir'", uma voz gritava na sua consciência e no seu coração. Uma voz forte que o pressionava, o questionava e o fazia repensar todo o processo do voltar para casa, amargurado e decepcionado. A voz que ele ouvia no íntimo de si mesmo era: "Por que ir embora sem o computador? Você não veio aqui para isso? Simplesmente vai voltar com as mãos abanando?" No fundo, é o que a maioria das pessoas faz. De modo geral, voltamos para casa, carregando no

DA DOR AO AMOR

peito e na alma nossos dissabores. Muitas vezes preferimos engolir em seco a enfrentar as situações que nos incomodam. Desistimos dos nossos sonhos e dos nossos ideais para não ter desafetos declarados. Renunciamos a projetos muito bem arquitetados para poupar nossa área de conforto e comodismo. Preferimos muitas vezes a covardia em nome do "estar tudo bem com todo mundo". Nem sempre o "estar tudo bem" é o que nos garante a verdadeira paz de espírito e a verdadeira tranquilidade. Para sermos nós mesmos, precisamos enfrentar com coragem e espírito intrépido aquilo e aqueles que não nos agradam ou não nos convencem. O mais importante para a alegria verdadeira de uma pessoa é ela estar em paz consigo mesma, com aquilo que carrega no âmago do seu ser.

O grito da consciência foi mais forte que o grito do orgulho, da vaidade, da prepotência e da arrogância. Ele voltou para a loja e, com verdade e simplicidade, olhou para os computadores que tinham chamado a sua atenção. Viu o atendente que o tinha destratado e que duvidara da sua capacidade de adquirir um *notebook*. Então outro atendente aproximou-se e perguntou: "Deseja alguma coisa?". Ele simplesmente disse: "Sim. Quero este computador". O atendente ainda indagou: "Qual a forma de pagamento?" Ele então disse: "À vista". A sua resposta causou silêncio nos que estavam na loja, pois o seu caso foi notado por todos. É sempre assim que acontece, um fala para o outro e todo mundo fica sabendo. A verdade é que nunca podemos julgar ninguém pela aparência. A aparência não explicita a realidade. Precisamos ir além dela para conseguir nos aproximar da realidade dos fatos, dos acontecimentos e das coisas assim como elas são.

O atendente da "primeira hora" ficou indignado com a compra realizada por aquele rapaz, que, a seu ver, aparentava não ter a mínima condição de adquirir tal aparelho, ainda mais à vista. Não se conformando com o desfecho da história, ele aproximou-se do jovem e falou à meia-voz: "Você nunca vai ser feliz". Talvez a única pessoa que ouviu essa sentença foi exatamente quem não precisava e nem merecia ouvir. O jovem, com aparência de simplicidade, ouviu.

Se você tivesse ouvido essa frase, como a enfrentaria? Como você reagiria a essa determinação? Iria decidir conscientemente dar a volta por cima? Ou iria ficar escravo dessa situação?

As respostas só podem ser dadas por nós, pois a consciência é o santuário de cada um. Ninguém pode responder por ninguém. As respostas mais coerentes não são dadas pelo nosso intelecto, pela nossa razão ou pelos nossos lábios, mas, sim, pela nossa vida. A maneira de enfrentarmos as mais diversas situações será com uma atitude sincera. O que respondemos com a nossa própria vida torna-se o nosso testamento, a nossa assinatura em nossa história.

O rapaz tomou uma decisão e respondeu com uma atitude de vida. Ele optou por não se tornar refém de uma "maldição". Pelo contrário: assumiu para si a "eterna novidade da vida", fazendo novas todas as coisas, até mesmo as provações que surgem no caminho de todos.

Ele acreditou que tudo poderia ser diferente, pois confiava em que nascera para ser feliz, ao contrário do que lhe fora anunciado. Ao mesmo tempo em que os seus ouvidos ouviram: "Você nunca será feliz", os seus lábios proclamaram com toda a força a seguinte profecia: "Você nasceu para lutar, para vencer e para ser feliz". E foram essa certeza e a repetição dessa verdade que conduziram a sua vida à felicidade plena e verdadeira. Este jovem é mais um testemunho vivo de um dos caminhos da realização "da dor ao amor". Em tudo, em nossa vida e em nossa história, devemos optar por este caminho. A dor, se não for ressignificada constantemente, nos leva à destruição; o amor nos leva à restauração, à superação e à verdadeira vitória!

Senhor Bom Jesus, infelizmente ainda existem, no meio de nós, muito preconceito e atitudes de exclusão. Por isso, com toda a humildade, Te pedimos que nos cures de todo pecado que nos afasta uns dos outros, impedindo-nos de viver a fraternidade. Senhor, ajuda-nos a sermos homens e mulheres, jovens e crianças que se olham com respeito e carinho. Senhor, afasta de nós tudo aquilo que nos afasta de Ti e dos irmãos. Ajuda-nos a crer que somos todos iguais diante de Ti e a viver de tal modo que reine a justiça no meio de nós. Amém.

O amor e seus desafios

"O AMOR É PACIENTE, O AMOR É PRESTATIVO, NÃO É INVEJOSO, NÃO SE OSTENTA, NÃO SE INCHA DE ORGULHO. NADA FAZ DE INCONVENIENTE, NÃO PROCURA O SEU PRÓPRIO INTERESSE, NÃO SE IRRITA, NÃO GUARDA RANCOR. TUDO DESCULPA, TUDO CRÊ, TUDO ESPERA, TUDO SUPORTA. O AMOR JAMAIS PASSARÁ."

(1Cor 13:4-8)

Quantas histórias de amor já ouvi... Creio que até já perdi as contas. Fico impressionado com a quantidade de homens e mulheres que me procuram para partilhar sobre os amores e dissabores que viveram cm suas experiências afetivas. Desde criança ouço dizer a respeito do namoro, noivado ou casamento que "nem tudo é um mar de rosas" ou, ainda, que "nem todo dia é só alegria". A verdade é que o amor sempre nos faz bem e amar é sentir o céu já aqui na terra. Mas é claro que quem ama também vive desafios, confrontos, provações, renúncias e escolhas. O amor nos leva a viver dias ensolarados e noites traiçoeiras. Mas o amor verdadeiro tudo vence, tudo suporta, tudo supera!

O início dos relacionamentos é quase sempre marcado por poesia, encantamento, surpresa, melodia, mel, alegria, expectativa e vontade de ficar juntos as 24 horas do dia. Quando a paixão e o amor invadem o nosso coração, quase tudo passa para um segundo plano:

família, estudo, trabalho, igreja, vida social, esporte e outras atividades. Um coração apaixonado dorme e acorda pensando na pessoa amada. E, quando dorme, sonha com lembranças lindas e também tem pesadelos com medo de que tudo aquilo venha a acabar ou esteja ameaçado por alguma surpresa inesperada.

Com o passar do tempo, com raras exceções, os casais entram numa rotina, numa "mesmice", onde tudo o mais vai sufocando aquele encantamento quase que inenarráve l. Surgem o cansaço do trabalho, as preocupações com a vida, o estresse do dia a dia, as metas profissionais para atingir, a crise financeira e econômica... Parece que tudo vai forçando um processo de "esfriamento" dos sentimentos nos relacionamentos. Todos aqueles que amam precisam cuidar do amor como "as pupilas dos seus olhos", como alguém que cuida de uma planta frágil que requer atenção o tempo todo.

Para que o amor na vida de um casal seja pleno, ele precisa ser recíproco. Em uma das minhas muitas viagens de ônibus a Curitiba, no Paraná, ainda na época de estudante, ouvi duas mulheres conversando sobre a vida a dois, vida de casal. O tema da conversa era sobre "os segredos" para um relacionamento bem-sucedido.

DA DOR AO AMOR

Uma sustentava a ideia de que, para um casamento dar certo, o homem precisa amar mais a mulher. A outra tinha um pensamento contrário. Dizia ela à amiga: "De jeito nenhum! A mulher precisa amar mais. Só amando mais ela vai conseguir ter toda a paciência necessária para com o marido". Para falar a verdade, não ouvi o final da conversa, pois estávamos na rodoviária e não pegamos o mesmo ônibus. Fui embora pensando naquela conversa. Hoje em dia, a cada casamento que vou, essa antiga conversa me vem à lembrança. E, dentro de mim, a conclusão é sempre a mesma: acredito que, para um relacionamento dar certo, ambos precisam amar com intensidade, com vontade, com carinho, com paixão, com respeito, com fé, com paciência e com toda a força da alma.

Acredito que o amor se torna cada vez mais belo quando é recíproco. Às vezes, nas lutas em nome do amor, somos tomados por certa cegueira, sobretudo quando uma das partes abre o jogo e o coração dizendo que não ama mais. O outro lado chora, sofre, se revolta e tenta fazer de tudo para reconquistar o coração da pessoa amada. Quando as relações são interrompidas, vive-se sempre um tempo misterioso de dor.

Já ouvi tantas vezes a célebre frase: "Não consigo viver sem ela"; "Ele é tudo para mim"; "E agora, o que será da minha vida?"... e ainda muitas outras perguntas para as quais nem sempre existe resposta naquele momento. Só com o tempo é que a razão e o coração conseguem entrar num acordo capaz de serenar a vida daqueles que passam por essa experiência.

Mas, pensando bem, de fato, às vezes o amor nos cega. Sofremos quando a outra pessoa nos diz claramente que não nos ama mais. Preferíamos ser enganados? Gostaríamos que o outro continuasse dizendo que nos ama, mesmo sem amar mais? Se amamos verdadeiramente a outra pessoa, deveríamos desejar a sua felicidade, e nem sempre a felicidade do outro é ao nosso lado. Sendo assim, se amamos mesmo, precisamos respeitar o sentimento e a liberdade da pessoa amada.

Mas sejamos bem sinceros: uma coisa é escrever ou falar dando conselhos para os outros; outra coisa é viver isso na carne, na pele e no coração. Somos especialistas em dar conselhos, dicas e palpites para os outros. Temos sempre receitas prontas para tudo. Logo dizemos: "Faça isso!", ou: "Faça aquilo!" Mas, quando a história é conosco, todo o nosso discurso e as nossas teses caem por terra e nos deixam no chão

DA DOR AO AMOR

da tristeza, da solidão e do desencanto. É nessas circunstâncias que precisamos reagir, pois, se nos trancarmos em nós mesmos e no nosso próprio mundo, vamos nos encolhendo até não sentir mais gosto de viver e nem vontade de sonhar, lutar e conquistar.

Lembro-me com misericórdia de uma jovem mulher que, depois de alguns relacionamentos desastrosos, chegou a pensar em desistir de formar uma família. Por várias vezes dizia: "Eles não querem nada com nada, não querem nada sério, só se aproximam para contatos passageiros". Enfim, depois de tanto tentar e nada conseguir, ficou desiludida com essa história de amar. Segundo ela, "o amor não existe. O que existe é somente sofrimento". E, por conta desse pensamento tão pessimista, foi se tornando uma pessoa amarga, fria, calculista, com poucos amigos. Vivia do trabalho para casa e de casa para o trabalho. Tudo ficou muito cinzento na sua vida, e nem mesmo nos dias com "céu de brigadeiro" ela conseguia ver a luz. Seu interior estava triste e, consequentemente, tudo isso se refletia na sua face. Essa jovem mulher bonita foi ficando com aspecto doentio e aparentando uma idade muito acima do que realmente tinha.

Em um determinado momento da sua trajetória, cansada de tanto sofrer, tomou uma decisão e falou para si mesma: "Quero acreditar que um dia vou constituir uma família. Quero acreditar que vai aparecer alguém especial na minha vida, capaz de somar comigo e juntos vivermos uma história de amor. Quero um dia brindar a um grande amor. Essa jovem mulher fez o itinerário da dor ao amor, vencendo a ansiedade e dizendo para si mesma que não se importava com o tempo que isso demoraria em acontecer. Ela iria esperar esse dia sem estabelecer prazo. Iria aguardar sem pressa e sem pressão sobre si mesma.

Ainda no quesito "amor e relacionamento", lembro-me também de quando vi e ouvi um amigo dizer que, depois de 23 anos casados, hoje ele ama a esposa mais do que quando se casou com ela. Como é belo quando o amor não envelhece, não se acomoda, não se cansa de amar! Como é bom quando o tempo nos torna ainda mais apaixonados! Quando isso acontece, até o sofrimento se torna suportável e tanto o interior como o exterior se rejuvenescem pela força do amor.

Cada pessoa pode pensar na sua própria história e avaliar como andam o seu coração e as suas expectativas no que diz respeito aos seus relacionamentos marcados por sabores e dissabores.

Diante de tudo isso, uma coisa é certa: um amor

DA DOR AO AMOR

vale a pena quando ele é motivo de mais alegria do que de tristeza; de melhores lembranças do que de más recordações; quando é muito melhor estar junto do que sentir-se aliviado pela distância. Enfim, quando nos faz mais bem do que mal. Há quem diga que é muito melhor sofrer por um amor não correspondido do que nunca saber o que é amar. Ou ainda, como escreveu o filósofo Pascal: "O amor tem razões que a própria razão desconhece". O amor é um mistério e uma vida ideal é aquela em que se vive envolto por esse mistério. E, em nome do amor, se chora com alguém as mesmas lágrimas, se sorriem os mesmos sorrisos, se enfrentam as mesmas derrotas e se brinda às mesmas vitórias.

Senhor Bom Jesus, ensina-nos a amar assim como o Senhor amou a todos, sem distinção. Cremos e sabemos que o amor é a força que vence tudo, inclusive a morte. Pedimos-te, Senhor, esta graça tão especial de conseguirmos amar a Ti sobre todas as coisas, amando também a nossa família, o nosso semelhante, o mundo que nos cerca com esta natureza tão linda, obra da Tua criação. Ajuda-nos, Senhor, a cuidar da Casa Comum, pois é nossa responsabilidade. Senhor, dá-nos a graça de amar e de permitir sermos amados, pois o amor sempre nos transfigura para melhor. Amém.

Amizades que a história conta

"O AMIGO FIEL É PODEROSO REFÚGIO, QUEM O DESCOBRIU DESCOBRIU UM TESOURO. O AMIGO FIEL NÃO TEM PREÇO, É IMPONDERÁVEL O SEU VALOR."

(Eclo 6:14-15)

A conhecidíssima canção é muito sugestiva quando diz: "Eu só não quero cantar sozinho... Eu quero ter um milhão de amigos e bem mais forte poder cantar". Toda pessoa, independentemente do que faz na vida, da área profissional em que atua, do grau acadêmico e da idade que tem, precisa, de modo imprescindível, ter amigos. Não importa quantos amigos sejam. O que importa mesmo é ter amigos.

Quando falamos de amizade, estamos nos referindo àquelas pessoas que nos conhecem como somos; que conhecem a verdade do nosso ser, do nosso agir e do nosso sentir. O amigo verdadeiro não concorda com todas as nossas escolhas, porém nos respeita, procura compreender e nos ajudar em toda e qualquer circunstância. Com os amigos não temos meias palavras, entrelinhas, analogias ou indiretas. Somos francos, diretos e verdadeiros. O amigo nem sempre evita a nossa lágrima, mas chora conosco e ajuda a enxugá-las.

O amigo não é uma cópia da nossa alma, do nosso coração ou da nossa personalidade. Os amigos não têm as mesmas preferências e não fazem as mesmas escolhas que fazemos. O amigo parte do princípio de que somos especiais e, a partir daí, compreende, inclusive, os nossos equívocos. E, mesmo não concordando conosco e até apontando nossos limites, o amigo nos ajuda a juntar os cacos, a reconstruir a vida, a reescrever a história e reinventar a nossa própria realidade. Ou seja, os amigos choram as nossas lágrimas, sentem pelas nossas dores e perdas, sonham os nossos sonhos e brindam às nossas vitórias, sem deixar de ser o que são. A amizade é, ao mesmo tempo, uma mistura de milagre, incógnita e graça; é dom e mistério. É exatamente por isso que a Palavra diz: "Quem encontrou um amigo encontrou um tesouro". E o Senhor Bom Jesus, amigo certo das horas incertas e certas, nos deixa um legado ao nos ensinar que "não há maior prova de amor do que dar a vida pelo amigo" (Jo 15:13).

Quero, agora, nesta reflexão sobre a amizade, trazer uma categoria que marca profundamente as nossas relações: o tempo. Nesta nossa vida tudo passa. O tempo corre ligeiro. A mitologia grega nos faz perceber que o tempo, assim como o deus Cronos,

nos quer devorar sem ao menos nos dar o direito de sermos descendentes ou herdeiros de algo. E muito menos de termos descendentes. Sobre o tempo, Guimarães Rosa escreveu: "Ah tempo, lugar de todas as nossas traições".

Santo Agostinho fala do tempo de Deus, que é atemporal, misturado ao nosso tempo, que é tão efêmero: "Teu tempo em mim e meu tempo em Ti, Senhor". Mas nem os segredos do tempo e nem a velocidade com que ele corre são capazes de vencer uma amizade verdadeira. Pois o amor, que dá significado à amizade, permanece para sempre, como nos alerta o apóstolo São Paulo na belíssima passagem da Primeira Carta aos Coríntios: "Agora permanecem três coisas: fé, esperança e caridade. Das três, a mais importante é a caridade" (1Cor 13:13). Caridade é amor que se torna oblação, serviço, doação.

É em nome de uma amizade baseada na caridade que dizemos com a voz do coração: "Conte comigo no que precisar, na hora em que precisar!" A casa do amigo é uma casa parecida com a casa da família, com a casa de Deus, ou seja, com as portas sempre abertas e as luzes sempre acesas.

É feliz quem passa por grandes tempestades e provações e consegue cantar e contar suas amizades

PE. SILVIO ANDREI RODRIGUES

e as histórias que as amizades nos contam. Quando uma amizade canta e conta uma história, essa história também encanta e fascina o coração de muitos.

Tenho muitas histórias para contar e cantar com a melodia e a poesia que vem das lembranças guardadas no coração, pois amigo – relembrando a belíssima "Canção da América", de Milton Nascimento – é coisa para se guardar do lado esquerdo do peito, dentro do coração; aí é o lugar ideal, que nem a traça, nem o tempo, nem a distância e nem mesmo a morte conseguem vencer, apagar ou destruir. Já dizia um grande poeta: "Aqueles que eu amo, guardo e carrego comigo dentro do coração, quando bate a saudade, falo com eles".

Conto com fé, saudade e afeto, conto com emoção e alegria três histórias, muito parecidas, de três grandes amigas que já partiram desta vida para a eternidade. Não é nenhuma homenagem póstuma. Não as estou partilhando agora somente porque elas habitam na morada eterna. O que estou escrevendo aqui tive a oportunidade de falar pessoalmente, e várias vezes, a elas. Minha família e meus amigos as conheceram. Desejo que todos os que lerem estas histórias passem a conhecê-las e admirá-las também, pois, o amor vence a morte, a fé vence a distância e a esperança supera a dor e a saudade.

DA DOR AO AMOR

Começo com Dona Laura, uma senhora sansei que viveu pouco mais que setenta anos. Uma pessoa simples, humilde, despretensiosa. Ficava feliz com pouca coisa. Sua vida girava em torno da Igreja. Ela participava assiduamente da Paróquia Nossa Senhora Rainha dos Apóstolos, na Vila Monumento, em São Paulo, onde tive a honra de trabalhar por mais de sete anos. Muitíssimas vezes ela me acompanhava nos compromissos fora da paróquia e até em outras cidades. Tinha um sorriso fácil e sincero. No meu aniversário de 40 anos, em 2010, ela participou de tudo. Esteve nas missas, nas comemorações com a Comunidade, com a família, com os amigos e até nos encontros mais reservados. Poucos dias depois, ela voltou para o Pai da Eterna Misericórdia. Parece que o fato de ela ter optado por ficar o maior tempo possível comigo era um prelúdio dos nossos últimos momentos juntos. Ela não deve ter passado bem à noite, e, quando amanheceu, já não mais morava conosco. Quando fiquei sabendo, tinha acabado de chegar ao aeroporto de Curitiba, onde participaria de uma reunião. Voltei quase que no mesmo instante. Com lágrimas nos olhos e um aperto no coração, presidi à Missa de corpo presente, no cemitério da Vila Mariana, em São Paulo. Dona Laura, quantas lembranças, quanta saudade, quantas histórias! Outra pessoa marcante: Patrícia. Conheci-a numa ocasião de dor. O pai dela, Sr. Ângelo, tinha falecido. Ela estava procurando um padre para a celebração das exéquias. Não pude ir às exéquias, mas celebrei a Missa de 7º dia de seu pai. Depois, fui fazer uma visita ao seu local de trabalho. E, dia a dia, nossa amizade foi se transformando num presente de Deus. Choramos e sorrimos juntos muitas vezes. Deus me permitiu termos uma conversa franca e sincera, numa das últimas vezes que conversamos, antes de ela ir para a UTI. Tínhamos combinado almoçar juntos. Quando entrei no quarto, logo falei: "Você trocou o lugar do nosso almoço?!"

Com o bom humor de sempre, ela respondeu: "Vamos ter muitos almoços juntos". No momento não entendi muito bem. Só depois, bem depois, já vivendo a terceira história, entendi que os muitos almoços seriam no Banquete da Eucaristia, onde o céu e a terra se encontram. A Patrícia sempre foi sinal de generosidade, esperança e discrição. Uma mulher sempre muito discreta. Foi uma das amigas com que tive o privilégio de falar e de ouvir as coisas mais íntimas que uma amizade verdadeira permite. Falamos de medos, de sonhos, de lutas. Falamos da vida e falamos da morte. Falamos inclusive do depois da morte.

DA DOR AO AMOR

Ela partilhou comigo suas preocupações com o pós-
-morte. E até aí ela se mostrou generosa, pois suas preocupações tinham como centro a família e os amigos.
Enfim, ela partiu num Domingo da Quaresma de 2014,
quando nos preparávamos para a Semana Santa. Deus
antecipou a Páscoa para ela. Na Missa de corpo presente pude expressar meu carinho e minha gratidão
por tudo o que dela recebi e por tudo o que com ela
aprendi. Por ela ganhei muitos outros amigos, inclusive
a amizade da sua família, a quem sou muito grato.

Mais recentemente, vivi uma das experiências
mais profundas que a amizade permite. A Jussara foi
uma daquelas amigas que conhece tanto a gente que
consegue perceber os "contornos da nossa alma". Ela
tem no sobrenome uma profecia, que é "Valente". Ao
lado de seu esposo, de seus filhos, família e amigos,
combateu o bom combate, completou a corrida e,
acima de tudo, guardou a fé. É tão difícil guardar a fé
quando parece que Deus silencia diante das nossas
dores, angústias e aflições... Somos tentados a desistir,
mas uma força sobrenatural, que não vem dos homens
nem da terra, mas de Deus, do mais Alto dos Céus,
nos levanta, nos resgata, nos coloca de pé de novo e
nos faz continuar caminhando, devagar às vezes, mas
sempre caminhando.

Era sexta-feira, dia 4 de março de 2016. Estava presidindo à Missa no Santuário Diocesano do Senhor Bom Jesus, em Pirapora do Bom Jesus, quando tive uma experiência – que talvez possa chamar de "mística" – que não dá para descrever; algo inenarrável mesmo. Durante a Missa, senti com toda a clareza que eu deveria visitar minha amiga naquele mesmo dia ainda. Eu já tinha combinado com o Vaultier, seu esposo, que iria na segunda-feira porque estava me recuperando de um resfriado e, por precaução e cuidado com ela, preferia aguardar um pouco. Mas tudo isso foi vencido pela certeza que Deus me deu. Ao terminar a Santa Missa, durante as primeiras estações da Via-Sacra, acompanhado de um amigo, fomos para o hospital. Lá conversamos, rezamos, cantamos, choramos e trocamos um gesto de carinho: um aperto de mão que falou mais do que mil palavras, um beijo na face que estava próxima de ver a face de Deus, uma declaração de amor e o sinal de positivo da parte dela, declarando que, apesar do desconforto físico, ela estava bem. Esses gestos de afeto foram, para mim, como se ela estivesse dizendo, à semelhança do Cristo: "Tudo está consumado" (Jo 19:30); "Pai, em Tuas mãos eu entrego o meu espírito" (Lc 23:46). Pouco tempo depois que saí do hospital, recebi a notícia de que a

DA DOR AO AMOR

Jussara já estava morando com Deus. Penso que uma das frases a mim confidenciadas pelo esposo, ainda no corredor do hospital, sintetiza a valentia dessa mulher Valente: "Padre, nós não vencemos a doença. Mas também a doença não nos venceu. Em nenhum momento houve palavra alguma de desconfiança sobre o amor de Deus por nós". Deus assinou embaixo dessa fala quando, na Missa de corpo presente, de novo no Cemitério da Vila Mariana, em São Paulo, na Liturgia do 4º Domingo da Quaresma, Domingo da Alegria, a Palavra de Deus, nos dizia: "Quem está em Cristo é uma nova criatura. Tudo o que era velho passou" (2Cor 5:17).

Aproveito este momento, esta página diante de mim e um silêncio fecundo em meu coração para fazer uma confissão: os anos de 2010, 2014 e 2016 foram divisores na minha vida e na minha história. Escrever é relembrar e relembrar é viver de novo. Com uma atrevida lágrima no canto dos meus olhos é que escrevo este capítulo. Mas, ao mesmo tempo, é com um conforto enorme no coração que sinto e creio que a morte não nos faz perder. Pelo contrário: nos faz ganhar "advogados no Céu". Para Deus nós não perdemos. Nós devolvemos aqueles para os quais, na Terra, Ele permitiu que os caminhos se encontrassem e se transformassem numa mesma vereda rumo ao Céu. O Senhor Bom Jesus, Apóstolo do Pai Eterno, chorou diante da morte de Lázaro, mas nos ensinou que a morte não tem a última palavra sobre nós. É Jesus, caminho, verdade e vida, a Palavra definitiva sobre nossa existência eterna. É Ele que se apresenta, dizendo: "Eu Sou a Vida. Aquele que tem o poder de transformar derrota em vitória, perda em ganho, lágrima em sorriso, doença em saúde e morte em vida, e vida em abundância, em vida eterna. Eu Sou Aquele que te confere a capacidade de transformar a dor em amor".

Senhor Bom Jesus, amigo certo das horas certas e incertas da nossa vida e da nossa missão, protege e guarda, no Teu Sagrado Coração, todos os nossos amigos, que são verdadeiros anjos de carne e osso que nos deste de presente. Ajuda-nos também a sermos amigos leais dos nossos amigos: amigos desinteressados e despretensiosos; firmes e valentes. Cuida de nós, Senhor, venha sobre nós a Tua graça da mesma forma que em Ti nós esperamos. Ajuda-nos a sermos amigos dos nossos amigos na alegria e na tristeza, na saúde e na doença, agora e na hora da nossa morte. Amém.

Conclusão

esde que era estudante, sobretudo nos cursos de Filosofia e Teologia, tanto nos trabalhos como nas pesquisas, eu tinha a nítida impressão de que toda conclusão de estudo era um convite para começar a estudar o assunto, ou seja: quando estamos concluindo algo, percebemos que, na realidade, estamos aptos para começar. Ouvi uma vez, em uma cerimônia de formatura, o paraninfo da turma dizer: "Hoje vocês não estão concluindo o curso, mas estão recebendo o diploma de início de uma nova jornada. E queira Deus que seja uma jornada longa e eficaz". Parece paradoxal e contraditório, mas essa é a verdade. Nós nunca concluímos a nossa vida acadêmica ou de pesquisadores ou de estudiosos. Precisamos recomeçar sempre.

Durante uma palestra do professor Gabriel Chalita, senti-me tocado ao ouvi-lo dizer que somos "seres em construção". O professor usou uma imagem muito eloquente ao falar daqueles cartazes que vemos em certos lugares, nos quais se pode ler: "Desculpem os transtornos, estamos em reforma".

O ser humano está em constante reforma. E é nesse ser e estar que se tece o mistério da vida e de suas relações, onde agimos constantemente como mestres e aprendizes. Causamos transtornos e, ao mesmo tempo, somos transtornados porque estamos em contínua formação. A todo momento é necessário aprender e reaprender a viver; até mesmo a escrever e a reescrever a nossa própria história. Em muitas circunstâncias da vida precisamos nos reinventar. E, para isso, é imprescindível que estejamos dispostos a trilhar o caminho com persistência, vontade, alegria e fé num itinerário marcado por muitas provações.

Assim como no caminho não existem só pedras e espinhos, também é verdade que na estrada da vida não existem só flores. Clarice Lispector dizia que "se aprende a andar andando". É a mais pura verdade e, para aprender a andar, levamos muitos tombos. Quando pensamos que já aprendemos a andar, somos surpreendidos por mais uma queda que, embora diferente daquelas de quando ainda éramos pequenos e passávamos do engatinhar para os primeiros passos, ainda é queda. É louvável quando as quedas não nos impedem de continuar aprendendo a viver. Aprende-se a viver vivendo dores e alegrias.

Escrevo tudo isso para testemunhar que, ao final deste modesto livro, chego à certeza de que estou preparado para começar uma nova reflexão sobre o caminho necessário a ser percorrido por todos nós, que é o caminho da dor ao amor. Existe uma máxima que nos lembra: "Do destino ninguém foge". Penso que seja verdadeiro afirmar que da dor ninguém foge, da provação ninguém escapa, do sofrimento ninguém está livre. Nenhuma pessoa consegue passar por este mundo sem provar em algum momento a noite escura e traiçoeira que tantas vezes nos "nocauteia", fazendo-nos quase perder o rumo, ficando sem chão.

Não escrevi este livro da noite para o dia, nem do dia para a noite. Foram meses de lembranças e recordações; orações e registros, sem pressa nem pressão, sem estabelecer data para encerrar, dando o devido tempo à mente e ao coração. Entre um compromisso e outro, deixando o coração mover e inspirar a organização das ideias, é que foram nascendo os capítulos deste modesto e despretensioso livro que, na realidade, é parte da minha história vivida ao lado de muitas pessoas.

Com toda a sinceridade, acredito que na hora da dor sofremos e choramos tentados a pensar que a tempestade não vai passar. Mas é fecundo quando conseguimos dar um passo além da dor e ver que toda escuridão pode estar sendo uma oportunidade para algo bom acontecer.

É tão proveitoso quando temos a chance de ver a dor não como castigo, mas como possibilidade de uma nova página da nossa história... da dor ao amor... Desejo que todas as experiências vividas pública ou intimamente despertem e realizem desejos, sonhos e acontecimentos. Ou seja, que tudo o que vivemos, de bom ou de ruim, gere sempre uma nova possibilidade, dando-nos com intensa verdade três tesouros que são: vontade de viver, fé inabalável e amor à família e à vida.

Nestas páginas lemos e vimos histórias reais, em que personagens conhecidos ou anônimos conseguiram testemunhar que é possível, sim, passar de um lado ao outro; é possível sair de onde estamos para chegar aonde queremos. Nada e ninguém pode nos impedir de percorrer o caminho que vai da lágrima ao sorriso, da derrota à vitória, da morte para a vida. Com os pés e o coração podemos caminhar, correr e voar rumo a uma nova direção, a uma nova página e a uma nova etapa. Que cada leitor continue os capítulos deste livro inacabado com a sua própria vida e com a sua própria história, decidindo ir sempre da dor ao amor.

"Com a luz da fé as nossas piores lutas podem se transformar nas nossas maiores vitórias."

P^e. Silvio

ESTE LIVRO FOI PUBLICADO PELA
COMPANHIA EDITORA NACIONAL EM 2017